बर
लेखक : सुभाष कोमुरु
चित्रकार : सुजाता कोमुरु
पाठक का नाम

MW00916167

Dedicated to both our sons
Arya, Aayush and our parents

www.KommuruBooks.com
ISBN : 978-0-9903178-6-9

एक बड़ा पुराना गांव था- विकास नगर। ख़ूबसूरत थी वहां की हर एक डगर। हरे भरे खेत-खलिहानों और मेहनती किसानों का गांव था यह।

पेड़-पौधों और पशु-पक्षियों से वहां के लोग बेहद प्यार करते थे।

इतना... कि उन्हें भी गांव के नागरिक जैसा ही मानते थे।

इन सभी नागरिकों में सबसे पुराना था- बरगद का एक विशाल पेड़।

इसकी ऊंचाई पर्वत की तरह बादलों को चूमती थी। चौड़ाई तो इतनी थी कि दस हाथी भी खड़े होकर इसे घेर नहीं पाते।

दिन भर इसके नीचे बच्चों का जमघट लगा रहता।
शाम के समय बुजुर्गों की बैठकी भी यहीं लगती।
गांव के मुखिया भी यहीं भाषण देते।

वट सावित्री पूजा के दिन महिलाएं भी इसके गोल घेरे में धागा बांधकर अपने पति के लंबे जीवन और हमेशा साथ बने रहने की कामना करतीं।

लेकिन बदलते समय के साथ विकास नगर का चेहरा बदलने लगा।

कच्ची सड़कें पक्की हो गईं।
पास से गुज़रने वाली नदी पर पुल बन गया।

खेतों में ट्रैक्टर का प्रयोग होने लगा।

एक नया कारखाना भी बन गया।

पेड़-पौधों की तो शामत ही आ गई।

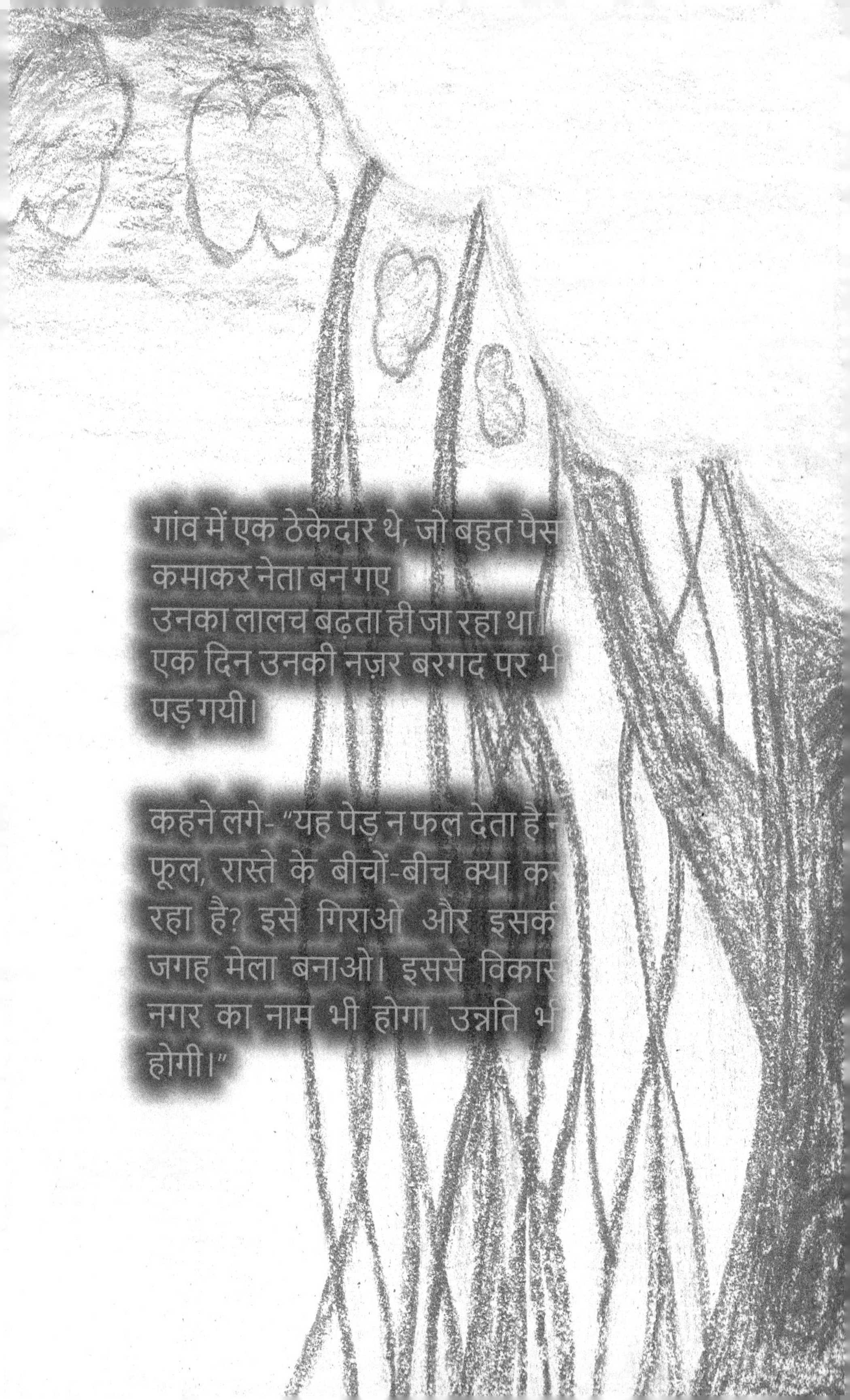

गांव में एक ठेकेदार थे, जो बहुत पैस
कमाकर नेता बन गए।
उनका लालच बढ़ता ही जा रहा था।
एक दिन उनकी नज़र बरगद पर भ
पड़ गयी।

कहने लगे- "यह पेड़ न फल देता है न
फूल, रास्ते के बीचों-बीच क्या क
रहा है? इसे गिराओ और इसकी
जगह मेला बनाओ। इससे विकास
नगर का नाम भी होगा, उन्नति भी
होगी।"

प्रस्ताव सुनकर गांव के युवक तो उत्साहित हो गए, पर बुजुर्गों को बात कुछ जमी नहीं।

उन्होंने एतराज किया- "यह कैसा प्रस्ताव है? बरगद विकास नगर का सबसे पुराना नागरिक है। यहां की पहचान है। यहां बच्चे खेलते हैं। हम बुजुर्ग भी यहीं सभाएं करते हैं।"

दांव उल्टा पड़ता देख नेताजी ने नई चाल चली।

बोले- "बात अगर बच्चों के खेलने की ही है, तो हम यहां खेल का मैदान बना देंगे। बुज़ुर्गों की सभा के लिए भी पास ही इंतज़ाम करा देंगे।"

नेताजी दबंग थे। इस बार कोई विरोध न कर सका।
जो बुज़ुर्ग अस्सी-नब्बे साल से इसे देखते आ रहे थे, उनका कलेजा धक से रह गया।
अब बरगद को गिरने से कौन बचा सकता था?

इसे काटने के लिए शहर से यंत्र भी जल्दी आ गया, लेकिन जैसे यह सब देखकर कुदरत का मूड बिगड़ गया।

आसमान पर
काले-काले
बादलों ने ऐसा
डेरा डाला कि
दिन में ही
अंधेरा छा गया।

इससे यह तो साफ हो गया कि आने वाले कुछ दिन मूसलाधार बारिश होने वाली है, लेकिन उसके पीछे छिपे तूफान की ताकत का अंदाज़ा किसी को नहीं था।

काले घने बादलों के साथ भीषण तूफ़ान ने भी विकास नगर का रुख कर लिया था।

पहला वार - हवा ने किया। कई घरों के छप्पर उड़ गए।
दूसरा वार - बिजली ने किया। फैक्ट्री और स्कूल बंद हो गए।
तीसरा वार - बारिश ने किया। सड़कें और पुल बंद हो गए।

गांव का बाहर की दुनिया से संपर्क कट गया।
चारों तरफ़ हाहाकार मच गया।

मगर इस हाहाकार के बीच भी बरगद सीना ताने खड़ा था।
उसे न तेज़ हवाएं डिगा पा रही थीं, न मूसलाधार बारिश कुछ बिगाड़ पा रही थी।

धीरे-धीरे विकास नगर के लोग उसी बरगद के नीचे शरण लेने लगे।
बारिश और तूफान का तांडव कई दिन चला, पर बरगद टस से मस नहीं हुआ।

आख़िर तूफान ने हार मान अपना रुख बदल लिया।

बरगद के नीचे जो भी आया, सुरक्षित रहा।

जो नेताजी उसे काटने चले थे, उनकी जान भी उसी के नीचे शरण लेने से बची।

बादल छंटने लगे। मौसम साफ़ हो गया। बारिश का जमा हुआ पानी भी सूखने लगा।

खतरा टल गया देख लोग ख़ुशी से झूमने लगे।
बरगद को चूमने लगे।
नेताजी को भी गलती का अहसास हो गया था।

संयोग से अगले ही दिन वट सावित्री पूजा थी। महिलाएं कृतज्ञता से उसके चारों तरफ़ धागा बांधने आईं।

नेताजी ने कहा- "हमें इस गांव का नाम बदलकर बरगदपुर रख देना चाहिए।"
फिर क्या था? उत्साह से भरे लोगों ने एक सुर में इसे मान लिया।

इसके बाद नेताजी ने बरगदपुर में पर्यटन को बढ़ावा देने की योजना बनाई।
इसके लिए पुस्तिकाएं छपवाईं और प्रचार अभियान चलाया।
फिर दूर-दूर से लोग बरगद को देखने आने लगे।

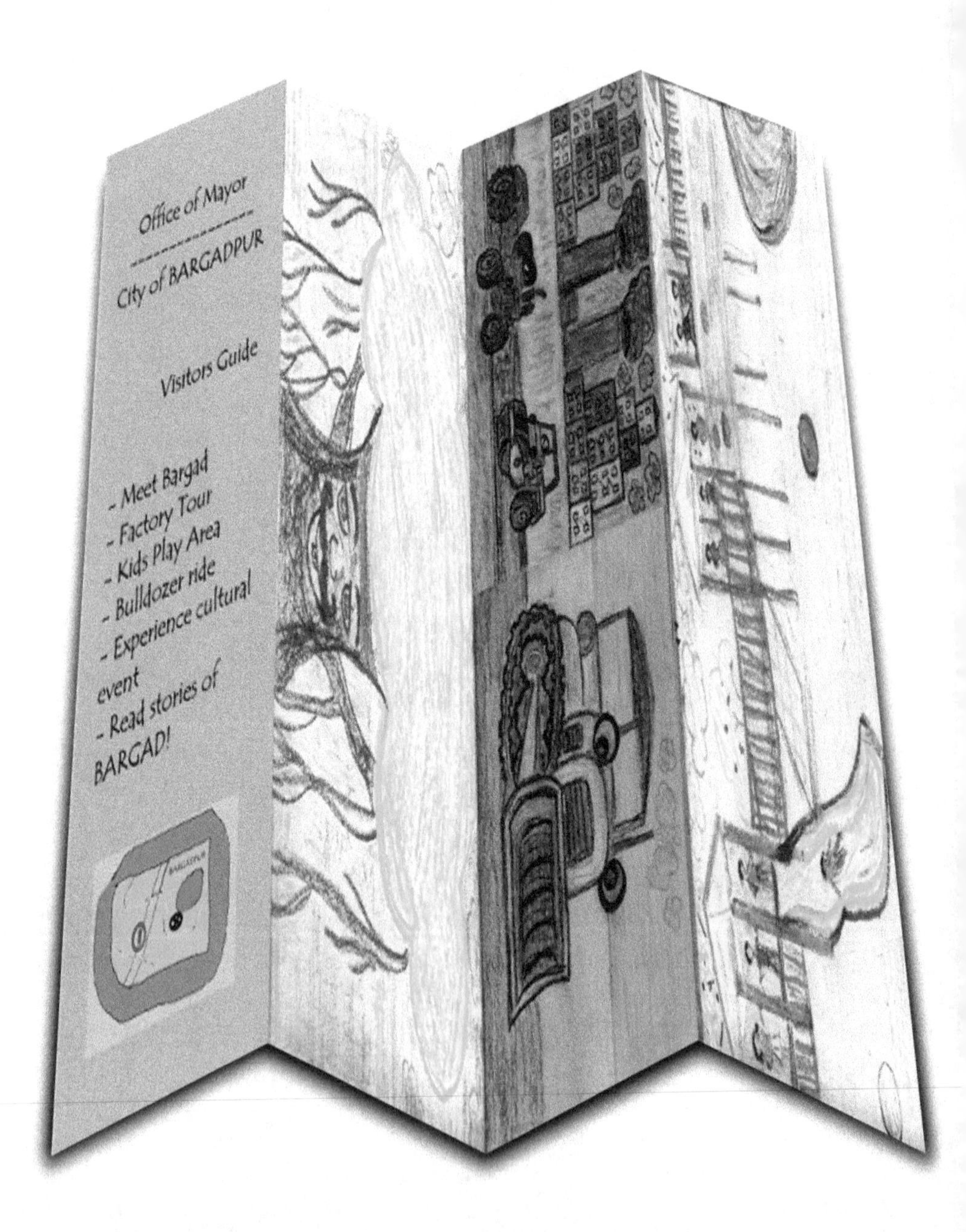

Our Other Entertaing Titles

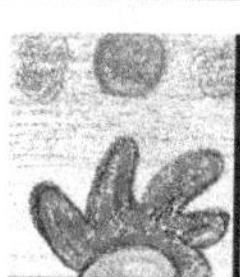

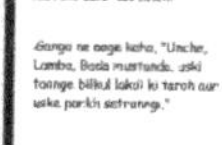

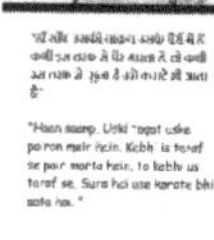

Bargad - Review from Amazon

Great inspiration for kids - Anitha Mohan
A great way to introduce Indian culture to kids - Aparna

Excellent Hindi book for kids - Kishore
Wonderful way to introduce kids to Hindi language and culture - Mekhala

Anokhi Dosti / The Magic of Friendship

"Delightful allegorical story .. Wonderfully written with aptly complementing illustrations.. Incorporating themes of bullying and friendship amid the Indian culture. Kommuru's recent book has great potential to connect with children internationally."

- **Pacific Book Review**

"The Magic of Friendship - aims for something more and stands above most ... world-changing potentials in this winning, feel-good story"

- **Midwest Book Review**

"An interesting story backed by excellent illustration" - Veena Nagpal, Author
"The book is so cute, I just love the illustrations." - Vidur Sury, blooger VidyaSury.com
"I like this story so very much." - Ashu 4yrs

A delightful fable for readers of all ages.. combined animals, storytelling, and expressive illustrations to successfully share the core values of family, community, and courage... A powerful and comforting message... accompanied by vivid illustrations.. - The Children's Book Review
"This cute tale reminds the reader of the true value of a mother's love. - Kathryn Starke, Founder/CEO, Creative Minds Publications, LLC
A picture book reader that is a fun, different standout -Midwest Book review

CPSIA information can be obtained
at www.ICGtesting.com
Printed in the USA
BVHW05s1615060818
523607BV00001B/4/P